DYN BACH Y CLOC
a DEINIOL Y DYLWYTHEN DEG DRWSGL

DYN BACH Y CLOC

DEINIOL y DYLWYTHEN DEG DRWSGL

Leusa Fflur Llewelyn
Lluniau gan Hannah Doyle

I Steffan Rhys a Guto Mei

Argraffiad cyntaf: 2017
ⓗ testun: Leusa Fflur Llewelyn 2017

Rhif Llyfr Safonol Rhyngwladol:
978-1-84527-616-4

Cyhoeddwyd gyda chymorth Cyngor Llyfrau Cymru

Llun clawr: Hannah Doyle
Cynllun clawr: Eleri Owen

Cyhoeddwyd gan Wasg Carreg Gwalch,
12 Iard yr Orsaf, Llanrwst, Dyffryn Conwy, Cymru LL26 0EH.
Ffôn: 01492 642031
Ffacs: 01492 642502
e-bost: llyfrau@carreg-gwalch.com
lle ar y we: www.carreg-gwalch.com

Argraffwyd a chyhoeddwyd yng Nghymru

Cynnwys

Dyn Bach y Cloc

Does dim llawer o bobl yn gwybod hyn, ond roedd dyn bach yn arfer byw yn y Cloc Taid sydd yn tŷ ni. Mae'r cloc yr un taldra bron â'r to, ac mae'n dipyn talach na mi, ond mae'n dal yn ofod bychan iawn i ddyn bach fod yn byw yn ei grombil.

Beth yw'r gyfrinach, felly? Wel, mae'r dyn bach yn wirioneddol fach. Mae'n fach, fach. Mae'n llai na llygoden, yr un mor bitw ag wy, cyn lleied â thanjarîn. Dyma'r dyn bach lleiaf i mi ei weld erioed. A dweud y gwir, pan welais i'r dyn bach gyntaf fe'i camgymrais o am un o deganau Begw, ac mi daflais o'n bendramwnwgl i mewn i'r gist chwarae. O diar! Dyna gamgymeriad.

Mi wnaeth hynny'r dyn bach yn flin ofnadwy; mor flin nes iddo droi bysedd y cloc ymlaen bob bore'r wythnos honno gan beri i mi fod yn hwyr i'r ysgol a chael pryd o dafod gan Mr Jones.

"Guto Alun, pam wyt ti ddeng munud yn hwyr i'r ysgol bob bore'r wythnos hon?" dwrdiodd Mr Jones.

"Mae'r dyn bach sy'n byw yn y cloc yn ceisio dial arna i am ei daflu fel doli glwt i ganol teganau Begw, Mr Jones. Dim fi sydd ar fai, wir yr!" atebodd Guto.

Doedd fiw i chi wylltio'r dyn bach oedd yn byw yn y cloc, neu mi fyddai'n troi a throi bysedd y cloc gan newid yr amser a drysu pawb yn rhacs.

Roedd yn rhaid i mi gymodi â'r dyn bach, a hynny ar frys. Felly, pnawn dydd Gwener ar ôl ysgol, fe gnociais ar ddrws y cloc a chynnig llond gwniadur o bwdin reis iddo. Ond atebodd y dyn bach mo'r drws.

Dydd Sadwrn mi es â thamaid maint deg ceiniog o fara brith iddo, ond glywais i ond sŵn "hy!" tu ôl i'r drws – roedd y dyn bach yn dal i bwdu. Y noson honno, wrth geisio weindio'r cloc, mi waeddodd Mam "Aw!" dros y lle. Roedd y dyn bach wedi ei chnoi.

"Bydd rhaid i mi roi trap llygoden yn y cloc yna, wir!" meddai.

Dydd Sul ar ôl te, gwisgais fenig a mynd â chrystyn yr oeddwn i wedi ei stwffio i fy sanau iddo. Ac mi gefais fraw o weld y drws yn agor a llaw fach yn dod allan o'r cloc ac yn cipio'r crystyn yn chwim. Yna, agorodd y drws eilwaith a chlywais lais yn gweiddi "Diolch!" ... cyn torri gwynt yn uchel.

Bues i'n smyglo crystiau iddo bron bob diwrnod, ac fel diolch roeddwn i'n cael mynd gydag o ar anturiaethau anhygoel, gan deithio drwy amser yn y cloc. Ymhen dim, daeth dyn bach y cloc a minnau yn ffrindiau pennaf. Goeliech chi fyth, ond ar ôl i mi stryffaglu drwy ddrws bach y cloc roedd y tu mewn yn anferthol! Roedd digon o le i mi wneud naid din dros ben, hyd yn oed.

Ond cyn mynd â chi am antur drwy amser gyda fi a dyn bach y cloc, gadewch i mi ei ddisgrifio. Mae ganddo farf fel wisgars cath oren ac mae ei wallt fel blew gwenynen goch. Ond mae ei aeliau yn ddu, a phob amser yn symud i fyny ac i lawr fel weipars car. Cefais syndod o ddeall mai ei enw yw Taid.

"Siŵr iawn mai Taid ydi fy enw! Pam goblyn arall fyddech chi'n galw'r cloc yn Cloc Taid?"

Mae'r dyn bach, bach yn flin yn amlach na pheidio, ond mae 'na un peth sy'n rhoi gwên enfawr ar ei wyneb – Y Nadolig.

Felly un pnawn, i ffwrdd â ni am antur i'r gorffennol, gan droi bysedd y cloc yn ôl yn gynt nag olwyn car, rownd a rownd a rownd nes cyrraedd Nadolig diwethaf.

Wel, dyna ddigri oedd gwylio teulu ni yn agor ein hanrhegion, ac yn stwffio cinio Nadolig i'n cegau. Tra oedd Mam a Dad a Begw a'r fi arall yn hepian cysgu o flaen y tân, rhedodd y dyn bach i'r gegin i ddwyn y stwffin o'r twrci.

"Ond sut alla i fod yn fan hyn a'r fan draw yr un pryd?" gofynnais.

"Cau dy geg, a thynna'r cracyr yma hefo fi," meddai dyn bach y cloc.

Ond roedd y dyn bach yn gallu bod yn farus. Penderfynodd droi a throi bysedd y cloc, ymlaen i'r dyfodol y tro hwn, yr holl ffordd i'r Nadolig nesaf i gael chwilio am fwy o stwffin. Wrth guddio yn y cloc mi gefais wylio ein teulu ni yn agor pob un anrheg a gweld beth oedd yn cuddio y tu mewn i'r papur lapio lliwgar. Dyna hwyl!

Ond doedd anturiaethau dyn bach y cloc ddim bob amser yn hwyl. Codais un bore Sadwrn, gan edrych ymlaen at ddiwrnod o chwarae drwy'r dydd – dim ysgol, hwrê! Agorais y llenni a dechrau tynnu fy mhyjamas, ond yn sydyn, digwyddodd rhywbeth rhyfedd. Fe wibiodd amser heibio mewn eiliad, ac fe aeth yr awyr yn ddu. Syllais ar y sêr, wedi drysu'n lân.

"Amser gwely!" gwaeddodd Dad o'r lolfa. Gwely? Roedd hi'n nos yn barod? Ond roedd fy mol yn cwyno eisiau brecwast!

"Be ar wyneb y ddaear sydd newydd ddigwydd?" gofynnais wrthaf fi fy hun.

"Roedd hi'n bwrw glaw drwy'r dydd, felly mi drois y cloc ymlaen. Mae tywydd gwlyb yn fy ngwneud yn flin," eglurodd y llais bach o'r cloc. Roedd o wedi dwyn fy nydd Sadwrn! Grrrr!

Ond mae'n anodd aros yn flin gyda dyn mor fychan, a ninnau'n cael cymaint o hwyl ar ein hanturiaethau yn y cloc. Un tro, fe aethom mor bell i'r dyfodol nes i mi weld cip arnaf fi fy hun gyda barf, ac mi fuon ni'n chwerthin am hanner awr o weld yr olwg oedd arnaf.

Un bore, a minnau heb weld y dyn bach ers tro, clywais sŵn SNAP yn dod o grombil y cloc.

"Hwrê! Dwi wedi dal yr hen lygoden fach 'na sy'n byw yn y cloc, ac yn dod allan fel lleidr yn y nos i frathu tyllau yn y dorth!" meddai Mam.

O na! Rhedais nerth esgyrn fy nhraed
at y cloc ... ac ochneidio mewn rhyddhad.
Y cwbl oedd yn y trap oedd hen grystyn
a nodyn gan ddyn bach y cloc. Mi sleifiais
hwnnw i fy mhoced cyn i Mam ei weld,
a dianc i fy stafell wely gan ei gadael
mewn penbleth o weld y trap yn wag.

"Annwyl Guto Alun.

Mae tŷ chi wedi mynd yn beryglus braidd, felly dwi wedi mynd ar fy ngwyliau i Gloc Taid fy Nhaid.
Mae'n gloc pren tywyll, gyda llun dau lwynog bach ar ei wyneb. Tyrd i ddweud helô rhywbryd os weli di'r cloc. Fe wela i di eto rhywbryd, rhywle yn y dyfodol.

Hwyl am y tro!

Taid x"

A dyna'r tro olaf i mi weld dyn bach y
cloc. Bob tro y gwela i Gloc Taid, rhof
gnoc cnoc ar ei ddrws, rhag ofn mai
hwnnw yw Cloc Taid Taid Taid.
Os gwelwch chi'r cloc yn rhywle, ewch
i ddweud helô a churwch yn dawel ar
y drws, ond cofiwch wisgo maneg, rhag
ofn ...

Deiniol
y Dylwythen Deg Drwsgl

Neithiwr, a minnau i fod yn cysgu'n
sownd, mi gwrddais i â thylwythen deg –
un go iawn, yn fy stafell wely! A heb
swnio'n anniolchgar ... doedd o ddim yn
union beth roeddwn i wedi ei
ddychmygu. Ie, dyna chi – fo. Dyn bach
oedd o, a dim ffrog binc ffrils ar ei gyfyl,
dim ond clamp o locsyn mawr gwyn, jîns
a chrys-T.

Ei locsyn hir oedd y rheswm y bu i mi gwrdd ag o, a dweud y gwir. Ac yntau ar ei ffordd yn dawel bach drwy'r awyr i nôl dant o dan fy ngobennydd, mi aeth ei adenydd yn sownd yn ei farf laes, ac mi ddisgynnodd yn bendramwnwgl ar fy mhen.

Fe syrthiodd mor galed nes i ddant arall oedd yn rhydd yn fy ngheg ddisgyn o'i le.

"Awww!" gwaeddais mewn poen, ac yna "Waaa!" mewn syndod. Yn sefyll ar fy ngobennydd roedd dyn bychan â barf laes, a honno'n sownd yn ei adenydd.

"Dratia ddwywaith a dratia ddeg
gwaith eto!" cwynai'r dylwythen deg
wrth ddatglymu ei farf yn rhydd o'i
adenydd bach tryloyw, oedd fel rhai
gwenynen fêl fawr. "Mae'n ddrwg iawn,
iawn gen i am hyn, Sandra Jôs."

"Waw – sut ydych chi'n gwybod fy enw i?"

"Mae tylwyth teg y dannedd yn gwybod enw pob plentyn bach yn y byd. Ond mae dy enw di hefyd wedi ei wnïo ar dy byjamas ... Deiniol ydi fy enw i, gyda llaw."

Ro'n i wedi gobeithio y byddai Deiniol y dylwythen deg yn cynnig punt am bob dant yn hytrach na'r hanner can ceiniog arferol, i wneud yn iawn am ddisgyn ar fy mhen a'm deffro o drwmgwsg. Ond roedd ganddo gynnig hyd yn oed yn well i mi.

"Sandra Jôs, i ymddiheuro o waelod calon am dy ddeffro a hithau'n noson ysgol, mi gei di ddau ddymuniad gen i. Mi allwn ni, dylwyth teg, ddod â'r amhosib yn bosib ... ond gofala ddefnyddio dy ddymuniadau yn ddoeth."

Caeais fy llygaid er mwyn canolbwyntio, a meddwl a meddwl a meddwl am bum munud a mwy ynglŷn â be allai fod yn ddymuniad gwerth chweil.

"Annwyl Deiniol y dylwythen deg," meddwn i o'r diwedd, "dwi'n dymuno y bydd plant bach dros y byd i gyd yn cael cysgu'n dawel yn eu gwelyau heno heb i beryglon rhyfel eu cadw ar ddi-hun."

Ochneidiodd y dylwythen deg yn drist.

"Yn anffodus, alla i ddim dy helpu di gyda'r dymuniad yma. Alla i ddim ond gwneud pethau amhosib yn bosib. Mae dod â rhyfeloedd i ben yn gwbl bosib, wyddost ti, pe byddai pobl dros y byd yn dysgu sut i fod yn ffrindiau. Rŵan, ty'd yn dy flaen, does gen i ddim drwy'r nos – mae gen i ddanedd pum plentyn bach arall i'w cyfnewid am arian cyn y wawr."

Dechreuodd Deiniol edrych ar ei oriawr, ac roeddwn yn ofni colli'r cyfle i wneud dymuniadau. Felly, heb ystyried am eiliad, mi waeddais y peth cyntaf ddaeth i fy meddwl.

"Dwi isio ... HEDFAN!"

A gyda sŵn POP uchel, dyna lle'r oedd dwy adain brydferth wedi ymddangos ar fy nghefn.

"Hedfana'n ofalus!" gwaeddodd
Deiniol. "Mi fydda i'n ôl cyn y wawr i
wireddu dy ail ddymuniad. Hwyl fawr!"
I ffwrdd â Deiniol y dylwythen deg farfog,
gan fy ngadael i ddysgu sut i ddefnyddio fy
adenydd newydd ar ben fy hun bach.

Ceisiais eu hysgwyd i fyny ac i lawr yn ysgafn, a wyysh, mi saethais i'r awyr fel jac yn y bocs a tharo fy mhen ar nenfwd fy stafell. Wps!

Felly rhoddais gynnig arall arni, a cheisio eu symud yn ysgafnach y tro hwn, gan ddychmygu fy mod yn löyn byw. Fe gododd fy nhraed oddi ar y carped, ac i ffwrdd â fi drwy'r awyr o amgylch fy stafell wely. Stopiais o flaen y drych i edmygu'r adenydd ac i wneud naid din dros ben heb gyffwrdd y llawr.

Ar ôl ymarfer am ddeng munud, mentrais drwy'r ffenest agored. Roedd yr ardd yn edrych yn fychan ac yn ddigri iawn wrth i mi hedfan uwch ei phen. Bisgeden oedd y trampolîn, a Pws y gath yn edrych mor fach â cheiniog wrth hela llygod maint pryfed lludw!

Mentrais yn uwch eto drwy'r cymylau oedd yn disgleirio yng ngolau llachar miloedd o sêr. Sbonciais ar gwmwl oedd yn teimlo fel candi-fflos, ac i fyny â mi i'r gofod, mor uchel nes i mi weld dyn bach y lleuad yn wincio arnaf! Mi godais fawd arno, ac i lawr â mi yn ysgafn yn ôl i'r ardd.

Es am dro dros doeau tai stryd ni, a heibio ffenestri ein cymdogion. Roedd pob un yn dywyll, a'r byd i gyd – ond fi a'r anifeiliaid – yn cysgu'n drwm. Mae hedfan yn waith blinedig iawn, wyddoch chi, ac roeddwn i'n dechrau gweld eisiau fy ngwely ar ôl dwyawr o grwydro ar y gwynt i fan hyn a fan draw. Felly mi ffarweliais â'r nos a chychwyn yn ôl am adref.

Roeddwn i bron â glanio'n ôl yn ddiogel ar silff ffenest fy stafell wely, ac yn dylyfu gên mor llydan nes y gallwn i fod wedi llyncu'r lloer ... pan wibiodd rhywbeth mawr heibio, gan achosi i mi chwyrlïo i bob cyfeiriad yn wallgo wyllt. Doedd gen i ddim syniad am eiliad lle'r oedd y llawr a lle'r oedd y lleuad.

Anghofiais fy mod yn gallu hedfan, a dechreuais blymio yn beryglus o'r awyr.

Wyshhh, wyshhh meddai'r creadur cyflym eto wrth hedfan heibio i mi o'r dde a'r chwith.

Roeddwn i bron â tharo'r llawr, pan gofiais yn sydyn am fy adenydd! Fe ysgydwais bob adain gyda fy holl nerth, a dod i stop mor agos at y llawr nes bod darn o wair yn cosi fy nhrwyn. Diolch byth!

Rhoddais fy nhraed ar y ddaear i gael fy ngwynt ataf. Edrychais uwch fy mhen, a chanfod dau ystlum yn chwarae mig. Y cnafon bach! Penderfynais gerdded yn ôl i fy ngwely – rhag ofn.

Roeddwn i yn fy ngwely, bron â syrthio i gysgu, pan glywais sŵn adenydd bach yn hofran uwch fy mhen. Deiniol y dylwythen deg oedd yno, wedi dychwelyd o'i daith casglu dannedd.

"Noswaith dda, Sandra Jôs. Gest ti hwyl ar yr hedfan? Gest ti gyfle i ystyried dy ail ddymuniad?"

"Fydd fy adenydd i'n diflannu unwaith y caf i fy ail ddymuniad, Deiniol? Maen nhw'n bethau coblyn o anghyfforddus i gysgu ynddyn nhw."

"Ti'n deutha i! Mi fydd dy adenydd di yn diflannu am byth – os nad wyt ti'n dewis eu cadw, wrth gwrs. Mae gen ti un dymuniad arall, cofia."

Ystyriais hyn am eiliad. Roedd y daith i ganol y cymylau yn brofiad bythgofiadwy, ond doedd herio'r ystlumod ddim wedi bod yn hwyl o gwbl. Ac ro'n i wedi blino'n lân ar ôl yr holl hedfan.

"Na, dydw i ddim yn dymuno cadw'r adenydd, diolch. Fy ail ddymuniad ydi … ga i hanner can ceiniog fel pawb arall, os gweli di'n dda?"

A cyn i mi glywed yr un smic gan Deiniol, ro'n i'n cysgu'n drwm.

Y bore wedyn, ar ôl i mi dawelu'r cloc larwm dair gwaith cyn gorfod deffro i fynd i'r ysgol, mi sleifiais fy llaw dan y gobennydd ... a chau fy mysedd ar ddarn o arian, a hwnnw'n dal yn gynnes.

Teitl arall yn yr un gyfres ...